●この本の、「はたらき」のぶぶんをさんこうにしましょう。

どんなはたらきをするじどう車なのかをかいせつしています。

はしご車のはたらき

高いところの火をけし
ひとをたすけだす

●ファイルにするはたらくじどう車の名前を書きましょう。

●自分の名前をかきましょう。

はたらくじどう車の名前　はしご車

名前　いわさき　たろう

はたらき
たかいところで火じがおきたときに、火をけしたり、にげおくれた人をたすけたりします。

つくり
たかいところまでとどく、ながいはしごがついています。

絵

しらべてみよう！ はたらくじどう車 ①

まちをまもる じどう車

はたらくじどう車編集部 編

この本の見かた

この本では、しょうぼう車やパトカーなどを、「はたらき」と「つくり」にわけてしょうかいします。そのじどう車は、どんなはたらきをするのか、そのためにどんなつくりをしているのかがわかります。

● 4ページで大きくかいせつするじどう車が、4つあります。

はたらき

どんなふうにはたらくのかを、しょうかいします。

つくり

とくちょうのあるぶぶんをとりあげて、しょうかいします。

●ほかにもいろいろなじどう車をしょうかいします。

わたしたちの みのまわりでは、

たくさんのじどう車がはたらいています。

それぞれのじどう車のはたらきによって、

わたしたちのせいかつは まもられているのです。

この本では、まえから気になっていた

じどう車についてしらべたり

いままでしらなかったけど、

おもしろそうなじどう車をみつけたりできるでしょう。

はたらきとつくりをしらべるのに やくだててください。

はたらくじどう車編集部

もくじ

この本の見かた ………………………………………… 2

まちをまもるじどう車のはたらきとつくり ………… 6

はしご車のはたらき …………………………………… 8

はしご車のつくり ……………………………………… 10

もっとしらべてみよう！　水をつかうしくみ ……… 12

いろいろなしょうぼう車
- ポンプ車、くっせつほうすいとう車 ……………… 14
- かがく車、空こう用かがくしょうぼう車 ………… 15
- すいそう車、あわげんえきはんそう車 …………… 16
- はいえんこうはっぽう車、ブロアー車 …………… 17
- しきしれい車、スーパーポンパー ………………… 18
- 小がたオフロードしょうぼう車、こうしょきゅうじょ車 … 19

きゅうきゅう車のはたらき …………………………… 20

きゅうきゅう車のつくり ……………………………… 22

いろいろなきゅうきゅう車
- とくしゅきゅうきゅう車、スーパーアンビュランス … 24
- ドクターカー、けつえきうんぱん車 ……………… 25

パトカーのはたらき …………………………………… 26

パトカーのつくり ……………………………………… 28

いろいろなけいさつ車りょう
- ふくめんパトカー、じこしょり車 ………………… 30
- サインカー、げんばしきかん車 …………………… 31

レッドサラマンダーのはたらき ……………………… 32

レッドサラマンダーのつくり ………………………… 34

いろいろなさいがいたいおう車
- きゅうじょこうさく車、トイレカー ……………………………… 36
- ばんのうきゅういん車、とくしゅさいがいたいおう車 ……… 37

しらべて なるほど！　まちをまもるじどう車のふしぎ ……………… 38

まだまだある！　まちをまもるじどう車 ……………………………… 40

いろいろなまちをまもるじどう車
- きゅうすい車、しょうめいでんげん車 ………………………… 42
- しきざいはんそう車、けんいんこうさく車 …………………… 43
- むじんそうこうほうすい車、スクラムフォース ……………… 44
- しえん車、すいなんきゅうじょ車 ……………………………… 45
- こうさく車、はいじょさぎょう車 ……………………………… 46
- どうろじゅんかい車、ひょうしき車 …………………………… 47

▲ はしご車

▲ パトカー

▲ きゅうきゅう車

▲ レッドサラマンダー

はしご車

まちをまもるじどう車 の

きゅうきゅう車

パトカー

ここからは、はしご車、きゅうきゅう車、パトカー、レッドサラマンダーについての、はたらきとつくりをくわしくかいせつします。

はたらきとつくり

レッドサラマンダー

はしご車のはたらき

高いところの火をけしひとをたすけだす

長くのびる はしごをもつしょうぼう車です。ビルの高いところの火じなど、地上から水がとどかないとき、はしごで近づいて水をかけます。ひとをたすけるときにも、かつやくします。

はしご車のなかま

せんたんくっせつしきはしご車

はしごの先がまがります。木や電線などの、じゃまなものをよけて近づくときなどにべんりです。

はしご車のつくり

はしご車は高いところではたらくために、どんなつくりをしているのでしょうか？

まえ

そうじゅうせき

はしごの下のところに、はしごをそうさするためのそうじゅうせきがあります。

はしご

はしごの下がわに、水をかごまでおくるためのパイプがついています。

かご

しょうぼうしがのるところです。水をかけるためのほうすいじゅうがついています。かごからはしごをそうさできます。

うしろ

アウトリガー

はしごをのばすときに、車がたおれないようにささえるそうちです。

きゅうすい口

近くのしょうかせんとホースでつないで、水をとり入れます。

もっとしらべてみよう！
水をつかうしくみ

しょうかせんやぼうかすいそうから水をとる

わたしたちがくらすまちには、しょうぼう車が水をとるための、しょうかせんやぼうかすいそうがあります。はしご車やポンプ車は、火じのげんばについたら、近くにあるしょうかせんやぼうかすいそうにホースをつないで水をとるのです。また、近くに川や池があれば、その水をつかうこともあります。

しょうかせん

下にしょうかせんがあるマンホール

下にぼうかすいそうがあるマンホール

しょうかせんとぼうかすいそうのそばには、ひょうしきがたっている

はしご車やポンプ車などのしょうぼう車は、水をつんでいません。では、水はどこからもってくるのか、そのしくみをみてみましょう。

高いたてものの火じではれんけつそうすいかんをつかう

ビルやマンションなどの高いたてものには、1かいにそうすい口があります。ポンプ車は、このそうすい口から水をおくります。すると、れんけつそうすいかんをとおって、3がいいじょうのかくかいにある、ほうすい口から水が出てきます。この水をつかって、しょうかかつどうを行うのです。

ビルなどの1かいにあるそうすい口

とびらをあけると、ほうすい口がある

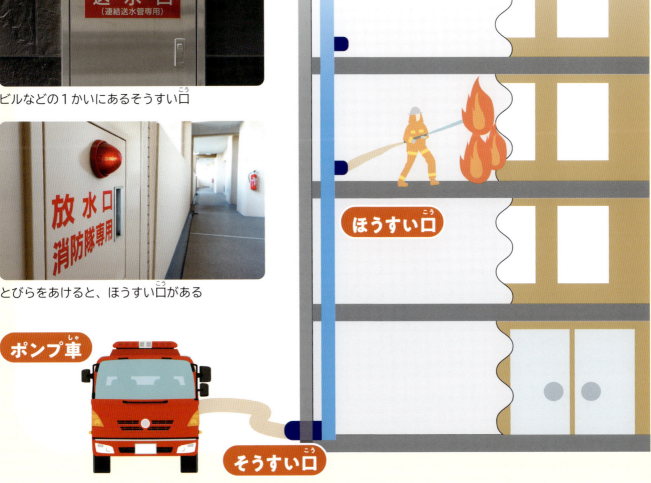

いろいろな

すいあげた水を火にかけてけす
ポンプ車

はたらき

しょうかせんや、ぼうかすいそうなどから水をすいあげて、ホースの先から出します。

つくり

車体には、水をすいあげて出すためのポンプがあります。長いホースもつんでいます。

▶車体のとびらをあけると、長いホースなどがある

長いブームの先から水を出して火をけす
くっせつほうすいとう車

はたらき

はしご車のように、高いところや、ひとが近づきにくいところの火をけします。

つくり

はしご車のはしごににた長いブームがありますが、ひとがのるかごはついていません。

▼ブームの先から水を出すようす

しょうぼう車

ほうすいじゅう

あわのやくざいを入れるところ

水を入れるところ

水ではけせない火をとくべつなやくざいでけす
かがく車

はたらき
水ではけすのがむずかしい火じのときに、とくべつなあわのやくざいで火をけします。

つくり
とくべつなあわのやくざいと、水のタンクがあります。ほうすいじゅうもついています。

▶ 車体の上にほうすいじゅうがある

空こうの火じにかけつけ走りながらほうすいする
空こう用かがくしょうぼう車

はたらき
ひこうきじこなどの火じでかつやくします。走りながら火にむかってほうすいします。

つくり
なるべく早く火もとへ行くために、すばやくうごけるようになっています。

15

水がないところに水をとどける

すいそう車

はたらき

しょうかせんや、ぼうかすいそうなどがない火じのげんばへ、水をはこびます。

つくり

たくさんの水が入るタンクがあります。ほうすいじゅうをもつタイプもあります。

▶ 車体の上にほうすいじゅうがある

とくべつなやくざいをかがく車にとどける

あわげんえきはんそう車

はたらき

かがく車の、とくべつなやくざいがたりなくなったとき、やくざいをほきゅうします。

つくり

やくざいを入れるためのタンクと、かがく車におくるためのポンプがあります。

▲ やくざいのじょうきょうをかくにんするパネル

▶ 車のうしろのぶぶんに大きなホースがはいっている

けむりを外に出しあわで火をけす
はいえんこうはっぽう車

はたらき
風をおくりたてものの中からけむりを外に出します。また、あわで火をけします。

つくり
風をおくるための大きなホースをつんでいます。あわのタンクもあります。

▲ 車のうしろがわに大きなせんぷうきがある

大きなせんぷうきでけむりやねつをとばす
ブロアー車

はたらき
トンネル内の火じなどで、けむりやねつを、大きなせんぷうきの風でふきとばします。

つくり
風を出すための大きなせんぷうきをつんでいます。水とあわせてきりも出せます。

17

火じのげんばでたいいんにしじを出す

しきしれい車

◀ 車内にはテーブルのようなしきだいがある

はたらき

火じがおきたときに、どのように火をけすのか、たいいんにしじを出すひとがのります。

つくり

火じのぶんせきをするパソコンや、しじをつたえるむせんきなどがあります。

近くに水がないとき遠くの水をりようする

スーパーポンパー

▲ 強力なポンプをもつ車りょう

▲ 長いホースをもつ車りょう

はたらき

近くにしょうかせんなどがないとき、長いホースで遠くの海や川の水をりようします。

つくり

長いホースをもつ車りょうと、強力なポンプをもつ車りょうがセットでかつどうします。

◀ に台に、ひとをたすけるためのどうぐがのる

あれた道をのりこえてすばやくかけつける

小がたオフロードしょうぼう車

はたらき

さいがいであれた道など、ふつうのしょうぼう車が近づけないところでかつどうします。

つくり

せまいばしょでも走りやすい小さな車体に、あれた道も通りやすいタイヤがついています。

◀ デッキが広いので、いろいろなさぎょうがしやすい

デッキ

大きなデッキにのってひとをたすけ、火をけす

こうしょきゅうじょ車

はたらき

高いところで火じがおきたときに、火をけしたり、ひとをたすけたりします。

つくり

はしご車のかごよりも、たくさんのひとがのれる大きなデッキがついています。

19

きゅうきゅう車のはたらき

ぐあいのわるいひとを
びょういんへはこぶ

きゅうにぐあいがわるくなったひとや、けがをしていそいで手当てをしなければならないひとのところにかけつけ、びょういんなどにはこびます。車内で、けんさや手当てをします。

きゅうきゅう車のはたらくすがた

サイレンをならしまわりに知らせる

かつどうするときは、サイレンをならし、赤色とうを光らせながら走ります。

きゅうきゅう車のつくり

ぐあいのわるいひとや、けがをしたひとをあんぜんにはこぶために、きゅうきゅう車はどんなつくりをしているのでしょうか？

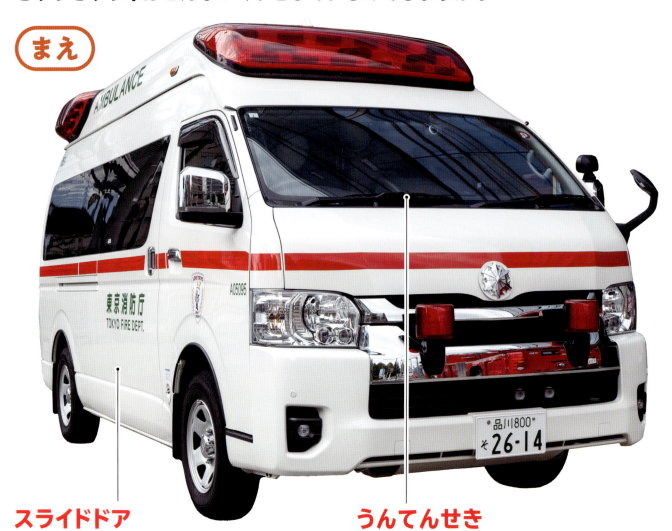

まえ

スライドドア
きゅうごにつかうどうぐを、外からとり出せるようになっています。

うんてんせき
しょうぼうほんぶ※とやりとりするための、むせんきやモニターがついています。

※しょうぼうほんぶ……ちいきのしょうぼう車や、きゅうきゅう車がどこにいるのかをかんりし、しじを出す。

うしろ

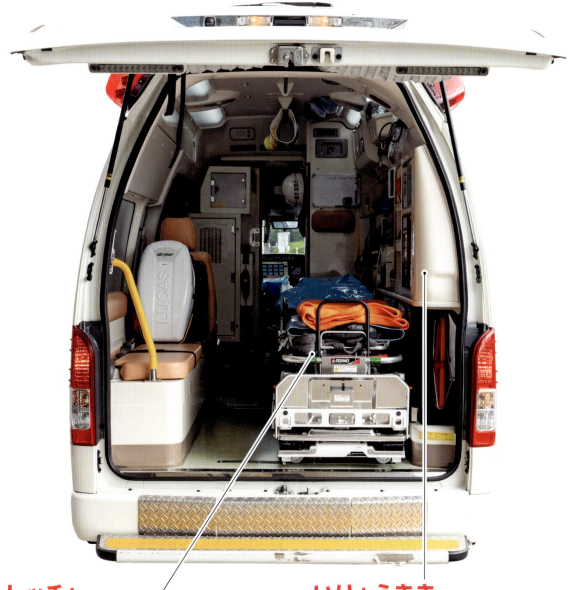

ストレッチャー
自分でうごけないひとをのせて、そのまま車内にのせることができます。

いりょうきき
体のぐあいをしらべたり、けがの手当てをしたりするどうぐをのせています。

いろいろな

かんせんしょうのひとや体の大きいひとをはこぶ

とくしゅきゅうきゅう車

はたらき

大がたの車体で、体の大きいひとや、かんせんしょう※のひとをはこびます。

つくり

車内が広いほか、かんせんしょうが広がらないようにくふうがされています。

◀ トラックタイプ

▶ マイクロバスタイプ

車体を広げてベッドをならべる

スーパーアンビュランス

はたらき

びょういんのようにベッドをならべて、びょうきやけがの手当てができます。

つくり

車体のりょうがわがよこに広がり、車内に8つのベッドをならべることができます。

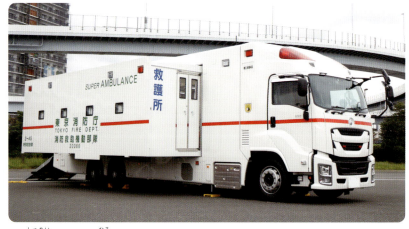

▲ 車体をよこに広げたようす

※かんせんしょう……ウイルスやさいきんなどの、びょうげんたいがげんいんでおきるびょうき。

きゅうきゅう車

▶ ふつう車タイプ

▼ たくさんのしんりょうききをのせた大がたタイプ

いしをはこんでいそいでしんりょう
ドクターカー

はたらき
はやくしんりょうするために、いしを、きゅうびょうのひとのところなどへはこびます。

つくり
いしをはこぶだけのふつう車タイプや、車内でしんりょうできる大がたタイプがあります。

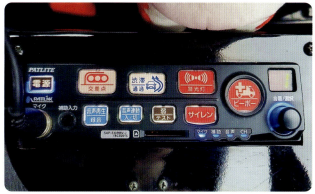

▲ サイレンや赤色とうのスイッチ

ひつようなけつえきをいそいでとどける
けつえきうんぱん車

はたらき
しゅじゅつで、きゅうにけつえきがひつようになったときなどに、いそいでとどけます。

つくり
きんきゅう車りょうとして走るため、サイレンと赤色とうがあります。

パトカーのはたらき

まちを走りながらあんぜんをまもる

けいさつかんがのるじどう車です。パトカーは、パトロールカーをみじかくしたことばです。まちの中を走りながら、きけんなことはないか、見まもります。

赤色とうを光らせて走る

じけんやじこがおきたときには、サイレンをならし、赤色とうを光らせながら、いそいでかけつけます。

パトカーのはたらくすがた

パトカーのつくり

まちのあんぜんを見まもるために、パトカーはどんなつくりをしているのでしょうか？

まえ

赤色とう（けいこうとう）
赤いかいてんとうです。まわりから見やすいように高く上げることがあります。

ぜんめんけいこうとう
車体のせんとうぶぶんにも、小さな赤いけいこうとうがついています。

うしろ

車りょうばんごう
ヘリコプターなどからしじをしやすいように、車体の上にばんごうがあります。

サイドミラー
上がじょしゅせき用のミラーで、下がうんてんせき用のミラーです。

いろいろな

見た目はふつうの車 のるのはけいさつかん
ふくめんパトカー

はたらき
けいさつのじどう車であることをわからないようにして、かつどうします。

つくり
じけんやじこでいそいで走るときは、車体の上に赤色とうが出てきます。

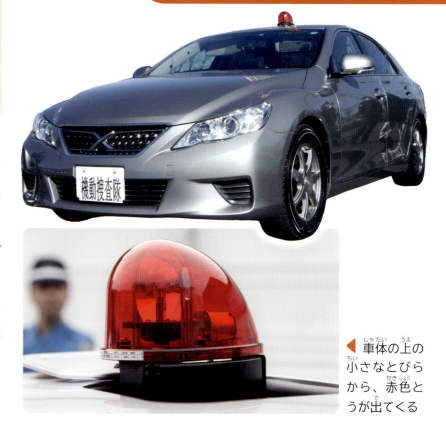

◀ 車体の上の小さなとびらから、赤色とうが出てくる

交通じこがおきたことをつたえる
じこしょり車

はたらき
じこがおきたことをつたえ、げんばのちょうさや、交通せいりなどを行います。

つくり
車体の上に、じこがおきたことをつたえるための、ひょうじばんがあります。

▶ 走るほうこうをつたえるひょうじ

けいさつ車りょう

◀ あんぜんうんてんへのきょうりょくをもとめるひょうじばん

大きなひょうじばんでじょうほうをつたえる
サインカー

はたらき
じこが多いことなど、交通じょうほうをつたえ、あんぜんをまもります。

つくり
車体のうしろに、大きなひょうじばんがあり、いろいろなじょうほうをつたえます。

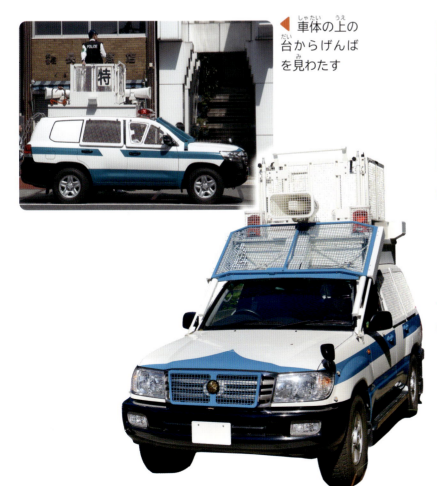

◀ 車体の上の台からげんばを見わたす

さいがいげんばやイベントでしきをとる
げんばしきかん車

はたらき
さいがいげんばや、ひとがあつまるイベントなどでしきをとります。

つくり
車体の上に、ひとがのる台や、しじをつたえるスピーカーがあります。

レッドサラマンダーのはたらき

どんな土地でも走ることができる

せいしきな名前は、大がたすいりくりょうよう車です。ふつうのじどう車では走れない、どしゃやがれきでおおわれた土地でも、水びたしになった土地でも走ることができます。

レッドサラマンダーのはたらくすがた

**さいがいげんばで
きゅうじょかつどう**

さいがいのときに、あれた土地（とち）をのりこえて、ひとをたすけ出（だ）したり、ものをとどけたりします。

レッドサラマンダーのつくり

まえ

うんてんせき
車体のまわりをかくにんするための、モニターなどがついています。

ウインチ
じゃまなものを引っぱってうごかします。5トンのおもさまでうごかせます。

レッドサラマンダーは、さまざまな土地を走ってきゅうじょかつどうをするために、どんなつくりをしているのでしょうか？

てんじょうのとびら
車体が水につかって、よこのとびらから出られないときなどにつかいます。

うしろ

こうぶキャビン
ざせきが6つあるほか、ストレッチャーやライフジャケットをつんでいます。

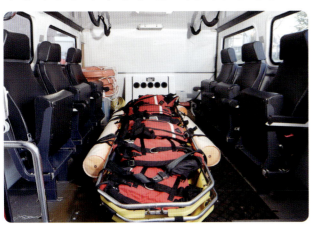

クローラ
ゴムのクローラでうごくため、いろいろな土地にたいおうできます。

35

いろいろな

レスキューたいが さいがいげんばなどでつかう
きゅうじょこうさく車

◀ うしろがわの白いぶぶんがクレーン

はたらき

レスキューたいの車りょうです。さいがいげんばなどで、きゅうじょかつどうを行います。

つくり

車体のうしろがわにあるクレーンなど、きゅうじょのどうぐがたくさんあります。

トイレがつかえない ばしょへかけつける
トイレカー

◀ 車内のだいべんき。しょうべんき、手あらいもある

はたらき

さいがいなどで、トイレがつかえず、こまっているところへかけつけます。

つくり

うしろがわがトイレになっています。小がたのものから、大がたのものまであります。

36

さいがいたいおう車

さいがいげんばで
がれきなどをすいとる

ばんのうきゅういん車

はたらき

どしゃや、がれきなどをすいとります。さいがいげんばでかつやくします。

つくり

ホースからすいとるそうちや、すいとったものをためるタンクがあります。

◀ ホースをつないで、すいこむところ

◀ うんてんせきと、に台ぶぶんの間に、小さなとびらがある

よごれた空気の
ばしょでかつどう

とくしゅさいがいたいおう車

はたらき

空気がよごれて、ひとが外に出られないようなばしょでかつどうします。

つくり

車内に、外のよごれた空気が入らないように、くふうされています。

しらべて なるほど！
まちをまもるじどう車のふしぎ

しょうぼう車やパトカーの、いろいろなぎもんをかいせつします。まちをまもるじどう車のひみつにせまります。

Q しょうぼう車はなぜ赤いの？

A ほうりつできまっている

日本でさいしょのしょうぼう車として、外国から買ったしょうぼう車が赤かったからだといわれています。いまは、ほうりつで「しょうぼう車はしゅ色（黄色みのある赤色）」ときめられています。

Q 外国のしょうぼう車も赤いの？

A 黄色やみどり色もある

世界でも、赤いしょうぼう車がいっぱんてきです。アメリカでは、ちいきによって色がちがい、黒色やみどり色のしょうぼう車もあります。また、写真のようにハワイは黄色のしょうぼう車です。

Q はしご車はどこまでのびる?

A 日本では54メートルが最高

日本のはしご車で、いちばん長いはしごは54メートルです。もっと長いはしごをもつ、はしご車をつくることはできますが、そのためには車体を大きくしなければなりません。そうすると、日本のどうろでは走れなくなってしまうので、つくられていないのです。

Q パトカーはむかしから白黒なの?

A さいしょは白だった

パトカーがつかわれはじめた1950年ごろは、パトカーの色は白でした。しかし、そのころのじどう車は白が多く、目立たないことから、下半分を黒くすることにしたのです。

Q 青いかいてんとうのパトカーもある?

A けいさつの車ではない

青いかいてんとうのついたパトカーのようなじどう車は、けいさつなどからきょかをうけただんたいが走らせています。ちいきのぼうはんをよびかけたり、パトロールをしたりしています。

しきざいはんそう車

しょうめいでんげん車

まだまだある!

スクラムフォース

しえん車

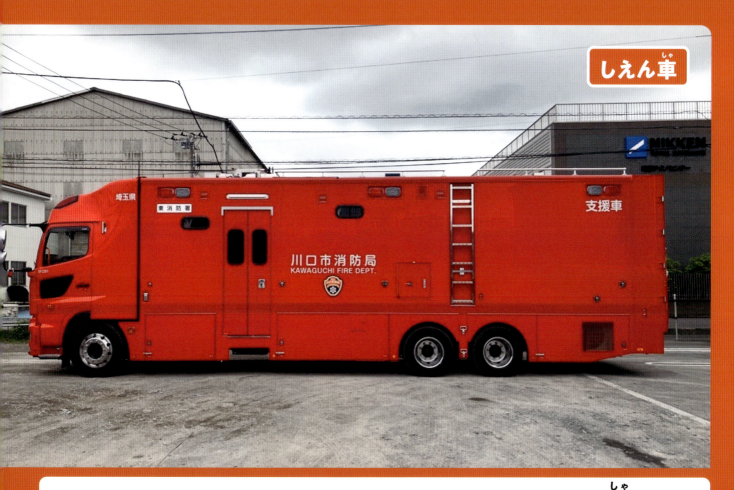

まちをまもるじどう車

しょうぼう車やさいがいたいおう車のなかま、こうそくどうろではたらくじどう車などをしょうかいします。

すいなんきゅうじょ車

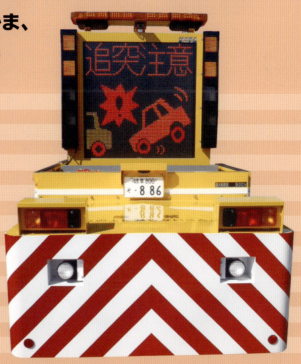

ひょうしき車

いろいろな

水が出ないところへ水をとどける

きゅうすい車

◀ 水を出すところ

はたらき

さいがいなどで、水が出なくなりこまっているところへ、水をとどけます。

つくり

水を入れる大きなタンクがあります。水を出すところがたくさんついています。

くらいげんばを明るくてらす

しょうめいでんげん車

▲ しょうめいをつかっているようす

はたらき

夜のさいがいげんばを、しょうめいで明るくします。車りょうはでんげんにもなります。

つくり

車体の上に、大きなしょうめいがついています。つかうときはしょうめいを立てます。

まちをまもるじどう車

▶ コンテナをおろしたところ

きゅうじょのための どうぐなどをはこぶ

しきざいはんそう車

はたらき
きゅうじょかつどうのための、ざいりょうや、どうぐをはこびます。

つくり
車体のうしろがわが、ざいりょうやどうぐを入れるためのコンテナになっています。

▲ 黒いぶぶんが、つりあげたり、引っぱったりするそうち

さいがいげんばで じゃまなものをどかす

けんいんこうさく車

はたらき
さいがいげんばなどで、じゃまなものをつりあげたり、引っぱったりしてどかします。

つくり
車体のうしろがわに、つりあげたり、引っぱったりするためのそうちがあります。

43

ひとが近づけないところにも行ける

むじんそうこうほうすい車

はたらき

リモコンで遠くからうごかし、たいいんが近づけないところで、かつどうさせます。

つくり

ホースをつないで、水やあわを出します。あれた土地も走れるクローラがあります。

▲ ほうすいのようす

ほうすいじゅう

▶ かぜを出して、けむりをとばすこともできる

ロボットをつかってあんぜんにかつどう

スクラムフォース

はたらき

4しゅるいのロボットをつかって、遠くからしょうかかつどうができます。

つくり

ホースをはこぶロボット、ほうすいするロボット、空と陸をていさつするロボットがあります。

▲ ロボットをのせる、せんようのじどう車

▲ 4しゅるいのロボットが力をあわせてかつどうする

◀ たいいんがねる ためのベッド

長いかつどうの間たいいんがくらす

しえん車

はたらき
さいがいげんばなどで、たいいんがせいかつするばしょになります。

つくり
車体がよこに広がり、車内が広くなります。中にはトイレやキッチンがあります。

◀ 車体の上にゴムボートをつんでいる

水のじこやさいがいにたいおう

すいなんきゅうじょ車

はたらき
海や川でのじこや、こうずいのときのきゅうじょをたんとうします。

つくり
ライフジャケットやゴムボートなど、きゅうじょのためのどうぐをつんでいます。

45

クレーンでおもいものをうごかす

こうさく車

はたらき

さいがいげんばなどで、クレーンをつかって、おもいものをうごかします。

つくり

こうじげんばでつかわれるクレーン車を、しょうぼう車の色にしたものです。

▲ クレーンは16トンのおもさまでもちあげられる

どしゃやがれきをどかして道をつくる

はいじょさぎょう車

はたらき

さいがいげんばで、どしゃやがれきをどかし、ほかの車が通れるようにします。

つくり

赤色のホイールローダーです。どしゃやがれきをどかすバケットがついています。

▲ 太くて大きいタイヤで走る

バケット

▲ ひょうじばんで、ゆうどうするようす

こうそくどうろを
パトロール

どうろじゅんかい車

はたらき

こうそくどうろを走って、パトロールします。じこのたいおうもします。

つくり

うしろのじどう車にむけた、ひょうじばんが、車体の上にあります。

◀ トラックのに台ぶんに、大きなひょうじばんがのっている

じこやこうじの
じょうほうを知らせる

ひょうしき車

はたらき

こうそくどうろで、じこや、こうじのじょうほうなどを知らせます。

つくり

車体のうしろがわに、じょうほうをつたえるための、大きなひょうじばんがあります。

取材協力
東京消防庁(はしご車、きゅうきゅう車)、千葉県警察(パトカー、じこしょり車)、
愛知県岡崎市消防本部(レッドサラマンダー、かがく車、しきしれい車)

画像協力
愛知県岡崎市消防本部(P5右下、P33)、モリタ(P14上段、P16下段、P19上段、P36下段、P39上段、P42上段)、東京消防庁(P14下段、P16上段、P17上段、P18下段、P24上段、P42下段、P44上段、P46上段)、国土交通省東京航空局東京空港事務所(P15下段)、米屋こうじ(P15下段)、伊藤岳志(P17下段、P19下段、P36上段、P43、P46下段)、神奈川県横浜市消防局(P17下段、P36上段、P43、P46下段)、神奈川県相模原市消防局(P19下段)、小牧市民病院(P25上段上)、国立循環器病研究センター(P25上段下)、日本赤十字社(P25下段)、大分県警察(P31上段)、加藤製作所(P37上段)、岡山県岡山市消防局(P37下段)、坪井特殊車体(P37下段、P45)、千葉県市原市消防局(P44下段)、埼玉県川口市消防局(P45上段)、神奈川県座間市消防本部(P45下段)、中日本高速道路(P47)、アフロ(P31下段上)、渡辺広史／アフロ(P31下段下)、サイネットフォト(p47上段上)、ピクスタ(P9、P12、P13、P24下段、P25上段上、P30上段、P38イラスト、P38下段、P39下段、後見返しイラスト)

- 構成・文　美和企画(大塚健太郎、嘉屋剛史)
- デザイン　ダイアートプランニング(松林環美)
- 撮影　　　岩橋仁子、設楽政浩、米屋こうじ

しらべてみよう！ はたらくじどう車❶

まちをまもるじどう車

2025年1月31日 第1刷発行

発行者	小松崎敬子
発行所	株式会社岩崎書店
	〒112-0014　東京都文京区関口2-3-3 7F
	電話03-6626-5080(営業)　03-6626-5082(編集)
編集	はたらくじどう車編集部
印刷所	株式会社精興社
製本所	大村製本株式会社

ISBN 978-4-265-09207-9
NDC537　29×22cm　48P
©2025 Miwakikaku
Published by IWASAKI Publishing Co., Ltd. Printed in Japan
岩崎書店ホームページ　https://www.iwasakishoten.co.jp/
ご意見ご感想をお寄せください。info@iwasakishoten.co.jp
乱丁本、落丁本は小社負担にておとりかえいたします。

本のコピー、スキャン、デジタル化等の無断複製は著作権法上での例外を除き禁じられています。本書を代行業者等の第三者に依頼してスキャンやデジタル化することは、たとえ個人や家庭内での利用であっても一切認められておりません。朗読や読み聞かせ動画の無断での配信も著作権法で禁じられています。

しらべてみよう！ はたらくじどう車
はたらくじどう車編集部 編

❶ まちをまもるじどう車
❷ くらしをささえるじどう車
❸ ひとやものをはこぶじどう車
❹ こうじでかつやくするじどう車

さくいん

あ行
- アウトリガー……………… 11
- いりょうきき……………… 23
- ウインチ…………………… 34
- うんてんせき……… 22、29、34、37
- 大がたすいりくりょうよう車……… 32

か行
- かいてんとう…………… 28、39
- かご…………… 10、11、14、19
- かんせんしょう…………… 24
- キッチン…………………… 45
- きゅうすい口……………… 11
- クレーン………………… 36、46
- クローラ………………… 35、44
- けいこうとう……………… 28
- こうぶキャビン…………… 35
- ゴムボート………………… 45
- コンテナ…………………… 43

さ行
- サイドミラー……………… 29
- サイレン……………… 21、25、26
- しきだい…………………… 18
- 車りょうばんごう………… 29
- しょうかせん…… 11、12、14、16、18
- しょうぼうほんぶ………… 22
- しょうめい………………… 42
- ストレッチャー………… 23、35
- スピーカー………………… 31
- スライドドア……………… 22
- 赤色とう……… 21、25、26、28、30
- ぜんめんけいこうとう…… 28
- そうじゅうせき…………… 10
- そうすい口………………… 13

た行
- タンク………… 15、16、17、37、42
- デッキ……………………… 19
- てんじょうのとびら……… 35
- トイレ…………………… 36、45

は行
- バケット…………………… 46
- はしご…………… 9、10、11、39
- パトロール……………… 39、47
- ひょうじばん…………… 30、31、47
- ブーム……………………… 14
- ベッド…………………… 24、45
- ホイールローダー………… 46
- ぼうかすいそう………… 12、14、16
- ほうすい口………………… 13
- ほうすいじゅう…… 11、15、16、44
- ホース……… 11、12、14、17、18、37、44
- ポンプ…………………… 14、16、18

ま行
- むせんき………………… 18、22
- モニター………………… 22、34

や行
- やくざい………………… 15、16

ら行
- ライフジャケット……… 35、45
- リモコン…………………… 44
- ロボット…………………… 44

はたらくじどう車の「つくり」を中心にしたさくいんです。じどう車の名前は、「もくじ」でさがしてください。

右のページをコピーして
つかいましょう。